VOLKS- UND KÜCHENLIEDER

VOLKS- & KÜCHENLIEDER

illustriert
von
Bele Bachem

ausgewählt
von
Harro Torneck und Hermann Mährlen

Langen-Müller

Umschlag-Zeichnung: Bele Bachem
Satz und Druck: Georg Westermann, Braunschweig
Binden: Reinhard Mohn OHG, Gütersloh
Printed in Germany 1977
ISBN 3 7844 1660 8

Was will die einsame Träne?
Sie trübt mir ja den Blick.
Sie blieb aus alten Zeiten
in meinem Auge zurück.

Heinrich Heine

Für Ute, Cary, Gay und Vance
von Karin

– Weihn. 1977 –

Treue Liebe

Blau blüht ein Blümelein,
das heißt Vergißnichtmein;
dies Blümlein leg ans Herz
und denke mein!
Stirbt Blum und Hoffnung gleich,
wir sind an Liebe reich,
denn die stirbt nie bei mir,
das glaube mir!

Wär ich ein Vögelein,
wollt ich bald bei dir sein,
scheut Falk und Habicht nicht,
flög schnell zu dir.
Schöß mich ein Jäger tot,
fiel ich in deinen Schoß;
sähst du mich traurig an,
gern stürb ich dann.

Im Krug zum grünen Kranze

Ein Glas war eingegossen, das wurde nimmer leer;
sein Haupt ruht' auf dem Bündel, als wär's ihm viel zu schwer.

Ich tät mich zu ihm setzen, ich sah ihm ins Gesicht,
das schien mir gar befreundet, und dennoch kannt' ich's nicht.

Da sah auch mir ins Auge der fremde Wandersmann
und füllte meinen Becher und sah mich wieder an.

Hei, was die Becher klangen, wie brannte Hand in Hand!
Es lebe die Liebste deine, Herzbruder, im Vaterland!

Lang, lang ist's her

Kennst noch den stillen, den heimlichen Ort,
lang, lang ist's her,
lang, lang ist's her!
wo wir einander gegeben das Wort?
Lang, lang ist's her,
lang ist's her!
Jeglichem Glück zogst mein Lächeln du vor,
selig nur lauscht deinem Schmeicheln mein Ohr,
noch jauchzt mein Herz, weil's das deine erkor,
lang, lang ist's her,
lang ist's her!

Denkst du der Seufzer, die um dich ich geklagt,
lang, lang ist's her,
lang, lang ist's her!
als wir voll Schmerz Lebewohl uns gesagt?
Lang, lang ist's her,
lang ist's her!
Bist du bei mir, ist mein Kummer entflohn,
lang bleibst du fort, ich vergeb es dir schon.
Gönn mir, wie einst, deiner Lieb süßen Ton!
Lang, lang ist's her,
lang ist's her!

Leise tönt die Abendglocke

Durch das Kloster wandelt leise
eine Nonn in schwarzer Tracht,
betet für den armen Krieger,
der verwundet in der Schlacht.

Horch, was klopft jetzt an der Pforte?
Ein alt Mütterlein tritt ein,
spricht: Mein Sohn liegt hier verwundet,
möchte seine Pfleg'rin sein.

Arme Mutter, spricht die Nonne,
euer Sohn, der lebt nicht mehr.
Eben hat er ausgelitten,
seine Leiden war'n zu schwer.

Und die Mutter tritt ans Bette,
zieht das Leichentuch herab –
einen Schrei, und sie sank nieder.
Gräber, grabt für zwei ein Grab!

Die Räuberbraut

Du armes Kind, du dauerst meiner Seele,
weil ich als Räuber wohn in einer Höhle.
Du kannst fürwahr nicht länger bei mir sein,
ich muß jetzt fort, in diesen Wald hinein.

Nimm diesen Ring, und sollte man dich fragen,
so sag, ein Räuber habe ihn getragen,
der dich geliebt, bei Tag und bei der Nacht,
und der so viele Menschen umgebracht.

Fern an dem Indiastrande

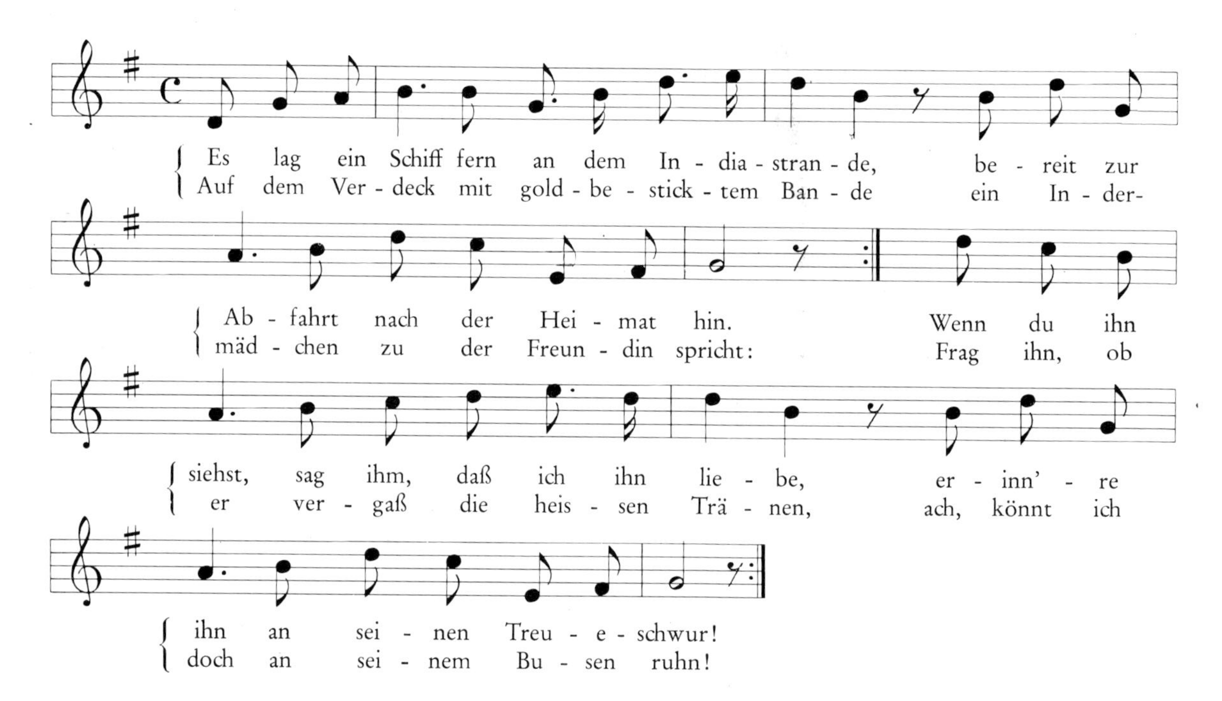

Das Schiff fährt hin nach Deutschlands gold'nen Auen,
wo er vor Monaten sich hinbegab.
Er wollt das Land nur mit Begeist'rung schauen,
das schöne Land, wo er geboren ward.
Wenn du ihn siehst, sag ihm, daß ich ihn liebe,
ich küßte gern die Spur von seinem Tritt.
Frag ihn, ob er vergaß die heißen Tränen,
ach, könnt ich doch an seinem Busen ruhn!

Am stolzen Gang wirst du ihn gleich erkennen,
an seinem dunkelblond gelockten Haar.
Sein ganzes Wesen wird vor Liebe brennen,
wenn auf ihm ruht ein dunkles Augenpaar.
Wenn du ihn siehst, sag ihm, daß ich jetzt sterbe,
erinn're ihn an meinen frühen Tod!
Frag ihn, ob er vergaß die heißen Tränen,
ach, könnt ich doch an seinem Busen ruhn!

Das Indiaschiff verläßt den Indiastrande,
durchkreuzt die Wogen und die helle Flut.
Ein Indermädchen steht im Lustgewande
und wirft sich voller Wehmut in die Flut.
Wenn du ihn siehst, sag ihm, daß ich gestorben,
erinn're ihn an meinen frühen Tod.
Sag ihm, daß ich vergoß die heißen Tränen,
weil ich nicht konnt an seinem Busen ruhn!

Der Träne Lob

Oft zeigt sie sich im Schmerz, oft in der Freude,
schon bei dem Kinde kann man's deutlich sehn;
wie mancher Mann weint eine bitt're Träne,
muß er zum Kampfe von den Seinen gehn.

Da steht die Braut vor Gottes Traualtare,
weint eine Träne mit dem Bräutigam,
der Jüngling, wenn er von der Heimat scheidet,
weint eine Träne, eh er gehen kann.

Und kehrt er einst zum Vaterlande wieder
mit seinem Wanderstabe in der Hand,
so füllt sein Auge sich mit Freudentränen,
und weinend grüßet er sein Vaterland.

Oft weint der Mann im Kummer eine Träne,
wenn er das Brot für seine Kinder schafft,
die Mutter blickt mit Tränen auf zum Himmel
und spricht: Herr Gott, verleih uns Mut und Kraft.

Und steht der Greis mit seinem Pilgerstabe
am Ziele, muß er von den Seinen gehn,
so fällt vom Aug ihm still noch eine Träne,
und spricht: Lebt wohl, lebt wohl, auf Wiedersehn!

So ist das ganze Leben eine Träne,
von Gott gelegt ins Menschenherz hinein,
wer sie nicht hat, kann nimmer hier auf Erden,
und wenn er noch so reich ist, glücklich sein.

Sie zeigt uns schon das Paradies hienieden,
nimmt manche Lebenssorge von uns ab,
drum wollen wir der Träne Lob besingen,
bis unsre letzte fällt vom Aug herab!

Der treue Knabe

Der Knab, der reist ins fremde Land,
da ward das liebe Mädchen krank,
so krank, so krank bis auf den Tod,
drei Tag, drei Nacht sprach sie kein Wort.

Und als der Knab die Botschaft kriegt,
daß sein Herzliebchen krank da liegt,
verließ er all sein Hab und Gut
und schaut, was sein Herzliebchen tut.

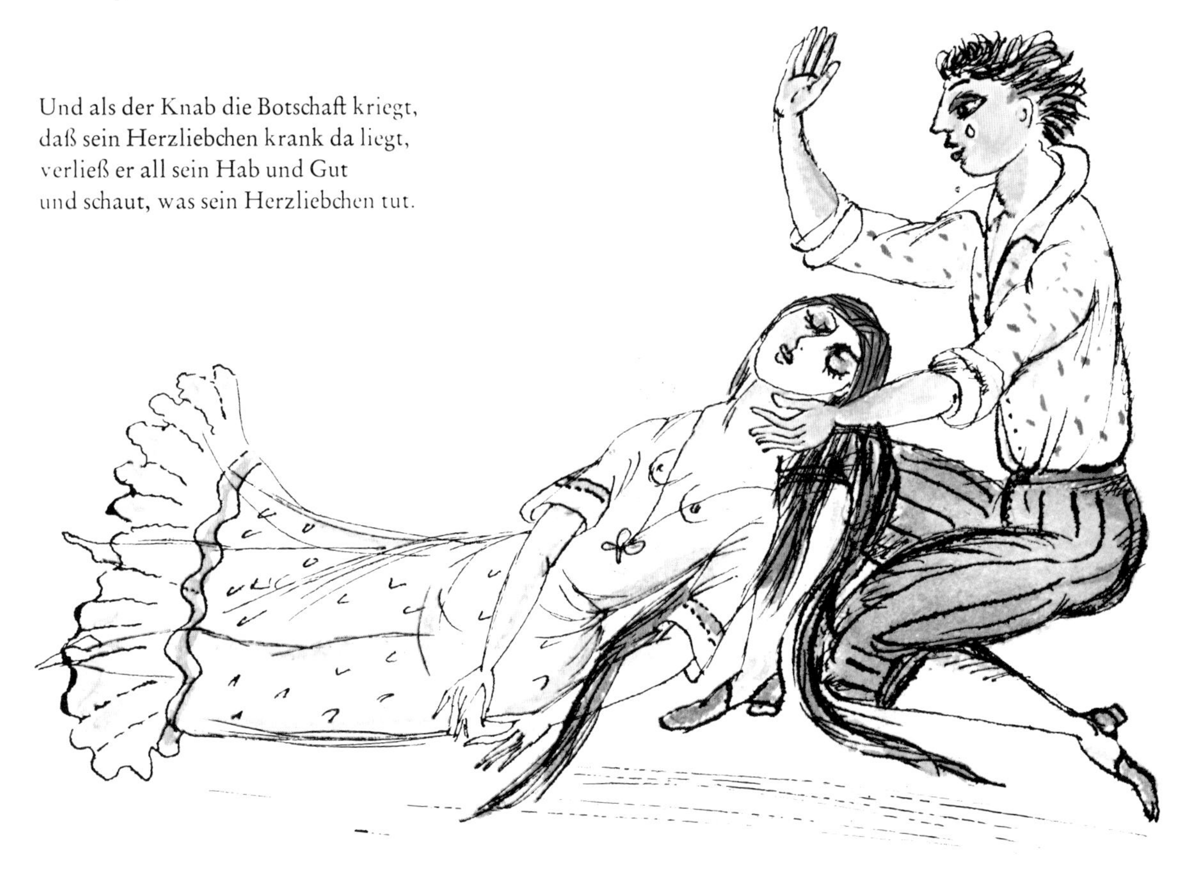

Grüß Gott, grüß Gott, Herzliebste mein,
was machst du hier im Bett allein? –
Vergelt dir's Gott, mein feiner Knab,
mit mir wird's heißen bald ins Grab.

Er rief und schrie aus heller Stimm:
Ach Gott, laß mir mein Engelskind!
Er rief und schrie aus heller Stimm:
Jetzt ist mein Freud und alles hin!

Nicht so, nicht so, Herzliebste mein,
die Lieb und Treu muß länger sein!
Er nahm sie sanft in seinen Arm,
da ward sie kalt und nicht mehr warm.

Ich hab gemeint, 's wär lauter Freud,
jetzt muß ich tragen ein schwarzes Kleid
wohl sieben Jahr und noch viel mehr,
mein Trauern nimmt kein Ende mehr.

Wo's Dörflein traut zu Ende geht

Darin noch meine Wiege steht,
darin lernt ich mein erst Gebet,
darin fand Spiel und Lust stets Raum,
darin träumt ich den ersten Traum.

Drum tausch ich für das schönste Schloß,
wär's felsenfest und riesengroß,
mein liebes Hüttchen doch nicht aus,
es gibt ja nur ein Vaterhaus.

Das verlassene Mägdelein

Schön ist der Flammen Schein,
es springen die Funken;
ich schaue so darein,
in Leid versunken.

Plötzlich, da kommt es mir,
treuloser Knabe,
daß ich die Nacht von dir
geträumet habe.

Träne auf Träne dann
stürzet hernieder;
so kommt der Tag heran –
o ging er wieder!

Das kleine Försterhaus

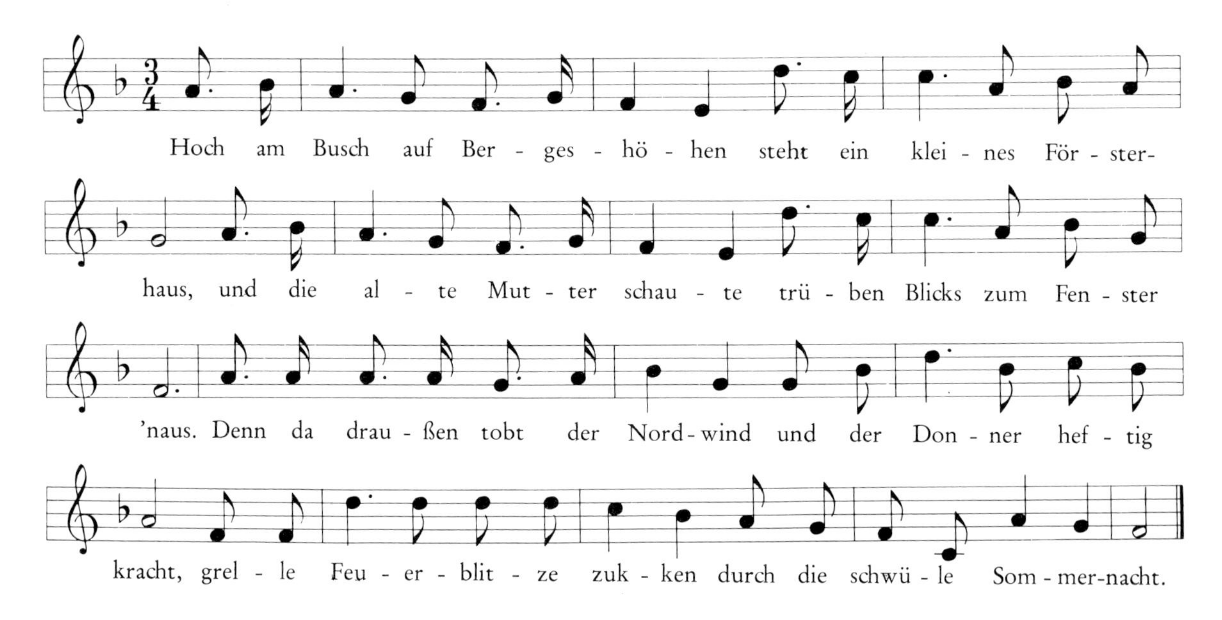

Und die schöne Tochter drinnen
an dem Rade sitzt und spinnt,
über ihre bleichen Wangen
eine heiße Träne rinnt.
Heute wollt mein Liebster kommen,
hör nur, wie's um's Fenster braust!
Und mein Bruder weilt im Walde,
hör nur, wie der Sturmwind zaust!

Sei geruhig, liebste Tochter,
denn ein Gott im Himmel wacht
über alle Menschenkinder
auch in dieser dunklen Nacht.
Mutter, Mutter, ach du weißt nicht,
wie so ängstlich mir zumut,
denn vor meinen Augen schimmert
es so rot wie lauter Blut.

Mutter, hier kann ich nicht bleiben,
denn es läßt mir keine Ruh!
Und sie eilet voller Sehnsucht
suchend nach dem Walde zu.
Dort, dort unter jener Eiche,
da lag er, vom Blitz zerknallt,
ihr Herzliebster, eine Leiche,
lag am Boden stumm und kalt.

Weinend kniete sie sich nieder,
küßte seinen bleichen Mund,
der so oftmals ihr gelächelt
in der späten Abendstund.
Plötzlich kracht ein Schuß im Dickicht,
und die Maid sinkt tot zurück.
Traurig nach des Försters Häuschen
eilt der Sohn mit scheuem Blick.

Mutter, dort bei jener Eiche
liegt das Wild von dieser Nacht,
denn ich hab anstatt des Rehes
meine Schwester umgebracht.
Mutter, Mutter, siehst mich nimmer,
lebe wohl, gedenke mein,
denn auf Frankreichs blut'gen Feldern
wird mein Totenbette sein.

In dem kleinen Försterhäuschen
sitzt die Mutter alt und schwach.
Auf dem Tische lag die Bibel,
und die alte Mutter sprach:
Vor zehn Jahr'n, am heut'gen Tage,
bracht mein Sohn den Tod nach Haus.
Vor fünf Jahr'n, am heut'gen Tage,
haucht auch er sein Leben aus.

Weinend blickt sie auf gen Himmel.
Bald senkt man auch mich ins Grab,
denn ich bin des Pilgerns müde,
meine Kräfte nehmen ab.
In den Stuhl sank sie zurücke,
schloß die müden Augen zu.
Kummer war ihr ganzes Leben,
Gott, schenk ihr die ew'ge Ruh!

O bleib bei mir

Ach da draußen in der Ferne
sind die Menschen nicht so gut;
und ich gäb für dich so gerne
all mein Leben, all mein Blut!
O bleib bei mir und geh nicht fort,
mein Herz ist ja dein Heimatort!

Hab geliebt dich ohne Ende,
hab dir nie was Leid's getan,
und du drückst mir stumm die Hände,
und du fängst zu weinen an!
O weine nicht und geh nicht fort,
mein Herz ist ja dein Heimatort!

Abschied

Zwar die Ritter sind verschwunden,
nimmer klingen Speer und Schild –
doch dem Wandersmann erscheinen
auf den altbemoosten Steinen
oft Gestalten zart und mild.

Droben blinken schöne Augen,
freundlich lacht manch roter Mund,
Wandrer schaut wohl in die Ferne,
schaut in holder Augen Sterne,
Herz ist heiter und gesund.

Doch der Wandrer zieht von dannen,
weil die Trennungsstunde ruft;
und er singet Abschiedslieder,
Lebewohl tönt ihm hernieder,
Tücher wehen in der Luft.

Es waren zwei Königskinder

Ach Liebster, könntest du schwimmen,
so schwimm doch herüber zu mir!
Drei Kerzen will ich anzünden,
und die sollen leuchten dir.

Das hörte eine falsche Nonne,
die tat, als wenn sie schlief.
Sie tät die Kerzen auslöschen,
der Jüngling ertrank so tief.

Es war am Sonntagmorgen,
die Leute warn alle so froh,
nicht so die Königstochter,
die Augen saßen ihr zu.

Ach Mutter, herzliebe Mutter,
mein Kopf tut mir so weh –
darf ich nicht gehn spazieren
am Strand von der rauschenden See?

Ach Tochter, herzliebste Tochter,
allein sollst du nicht gehn.
Weck auf deine jüngste Schwester,
und die soll mit dir gehn.

Ach Mutter, herzliebste Mutter,
meine Schwester ist noch ein Kind,
sie pflückt ja all die Blümlein,
die auf Grünheide sind.

Ach Tochter, herzliebste Tochter,
allein sollst du nicht gehn.
Weck auf deinen jüngsten Bruder,
und der soll mit dir gehn.

Ach Mutter, herzliebste Mutter,
mein Bruder ist noch ein Kind,
er schießt ja all die Vöglein,
die auf Grünheide sind.

Die Mutter ging zur Kirche,
die Tochter ging an den Strand;
sie ging so lange spazieren,
bis sie einen Fischer fand.

Ach Fischer, liebster Fischer,
willst du verdienen groß Lohn,
so wirf dein Netz ins Wasser
und fisch mir den Königssohn!

Er warf das Netz ins Wasser,
es ging bis auf den Grund;
er fischte und fischte so lange,
bis er den Königssohn fand.

Sie schloß ihn in ihre Arme
und küßt seinen bleichen Mund:
Ach Mündlein, könntest du sprechen,
so wär mein junges Herze gesund!

Was nahm sie von ihrem Haupte?
Eine goldene Königskron:
Sieh da, du wohledler Fischer,
hast deinen verdienten Lohn!

Was zog sie von ihrem Finger?
Ein Ringlein von Gold so rot:
Sieh da, du wohledler Fischer,
Kauf deinen Kindern Brot!

Sie schwang sich um ihren Mantel
und sprang wohl in die See:
Gute Nacht, mein Vater und Mutter,
ihr seht mich nimmermeh!

Da hört man Glocken läuten,
da hört man Jammer und Not:
Hier liegen zwei Königskinder,
die sind alle beide tot!

Müde kehrt ein Wandersmann zurück

Und die Gärtnersfrau so hold, so bleich,
führt ihn hin zu Blumenbeeten gleich;
doch bei jeder Blume, die sie bricht,
rollt die Träne ihr vom Angesicht.

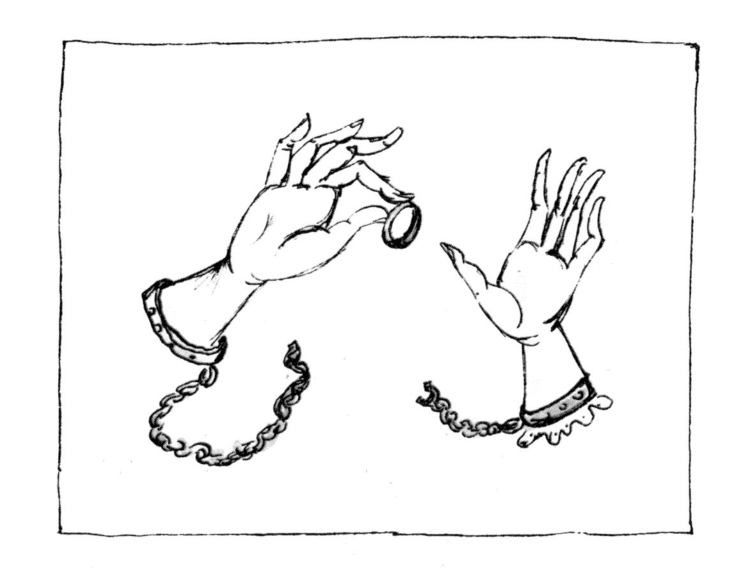

Warum weinst du, holde Gärtnersfrau?
Weinst du um das Veilchen dunkelblau
oder um die Rose, die du brichst?
Nein, ach nein, um diese wein ich nicht!

Um den Liebsten wein ich ganz allein,
der gezogen in die Welt hinein,
dem ich ew'ge Treu geschworen hab,
die ich als Gärtnersfrau gebrochen hab!

Warum fällt dein Blick auf meinen Ring,
den ich einst in Lieb von ihm empfing?
Warum warst du untreu vor der Zeit,
hast gebrochen den geschwor'nen Eid?

Liebe hast du nie für mich gehegt,
nur die Blumen stets für mich gepflegt,
darum gib mir, holde Gärtnersfrau,
diesen Blumenstrauß voll Tränentau.

Mit dem Blumenstrauß in meiner Hand
will ich ziehen durch das ganze Land,
bis dereinst mein müdes Auge bricht.
Leb denn wohl, leb wohl, vergiß mein nicht!

Der Wirtin Töchterlein

Frau Wirtin, hat sie gut Bier und Wein?
Wo hat sie ihr schönes Töchterlein?

Mein Bier und Wein ist frisch und klar,
mein Töchterlein liegt auf der Totenbahr.

Und als sie traten zur Kammer hinein,
da lag sie in einem schwarzen Schrein.

Der erste, der schlug den Schleier zurück
und schaute sie an mit traurigem Blick:

Ach, lebtest du noch, du schöne Maid!
Ich würde dich lieben von dieser Zeit.

Der zweite deckte den Schleier zu
und kehrte sich ab und weinte dazu:

Ach, daß du liegst auf der Totenbahr!
Ich hab dich geliebet so manches Jahr.

Der dritte hub ihn wieder sogleich
und küßte sie an den Mund so bleich:

Dich liebt ich immer, dich lieb ich noch heut
und werde dich lieben in Ewigkeit.

Gefangen in maurischer Wüste

Schon zweimal ist's Frühling geworden,
und sie hab'n mein Gebet nicht erhört.
Die Schwalben, sie zogen nach Norden,
ohne Gruß sind sie wiedergekehrt.
Teure Schwalben ...

Und jenseits, am Ufer des Rheines,
wo die schönsten Jahre entflohn,
dort sitzt eine Mutter und weinet
um den lange entschwundenen Sohn.
Teure Schwalben ...

Ich habe den Frühling gesehen

Der liebliche Lenz ist entschwunden,
verblühet die Rosen all,
das Mädchen ins Grab gesunken,
verstummet die Nachtigall.

Dort liegt sie mit Erde bedecket,
und Blumen ihr blühn auf dem Grab.
Ach, könnt ich sie wieder erwecken,
die einstens die Rose mir gab!

Und kehret der Frühling einst wieder,
die Rosen blühn auf zum Licht,
die Nachtigall singt ihre Lieder,
das Mädchen, das finde ich nicht.

Das Rehlein

Im grü - nen Wald, da wo die Dros - sel singt, Dros - sel singt, und im Ge-
büsch das mun - tre Reh - lein springt, Reh - lein springt, wo Tann und
Fich - ten stehn am Wal - des-saum, ver - lebt ich mei - ner Ju - gend schön-sten Traum.

Das Rehlein trank wohl aus dem klaren Bach,
derweil im Wald der muntre Kuckuck lacht,
ich stand gerade hinter einem Baum,
das war des Rehleins letzter Lebenstraum.

Ich drückte los, und sterbend lag es da,
das man zuvor noch munter hüpfen sah.
Ich nahm die Büchse, schlug sie an den Baum
und sprach: Das Leben ist ja nur ein Traum.

Schier achtzehn Jahre sind verflossen schon,
da ich noch war ein schmucker Weidmannssohn.
Wo Tann und Fichten stehn am Waldessaum,
verlebt ich meiner Jugend schönsten Traum.

Des Bergmanns Kind

Jedoch des Schicksals schnelles Walten
manch Lebensglück im Nu zerbricht.
Es klingt die Glock vom Turm, dem alten,
jedoch den Bergmann bringt sie nicht.
Nun fragt das Kind mit bangem Herzen:
Was ist denn los, lieb Mütterlein,
die Glocken sind schon längst verklungen,
kommt denn der Vater noch nicht heim?

Es ist vorbei! Ein Bergmannsleben
kehrt nun nach kurzer Fahrt zur Ruh.
Der Freunde Trauerklagen geben
dem Sterbenden Geleit dazu.
Da klingt's auf einmal, bitter weinend,
verklungen kaum des Priesters Reim:
Ach, Mütterl, horch, die Glocken läuten,
jetzt kehrt der Vater nimmer heim.

So Menscher sind schlecht

Ich hatt nu mei Trutschel ins Herz nei g'schlosse,
und sie hat gesagt, sie woll mich nit losse;
do reit mer der Teufel den Schulze sei Hans,
der führt se zum Tanz.

So geht's, wenn mer de Menscher zum Tanze läßt gehe:
Do muß mer halt immer in Sorge um stehe,
daß sie sich verliebe in andere Knecht,
so Menscher sind schlecht.

Nu schmeckt mer ke Esse, nu schmeckt mer ke Trinke,
und wenn ich soll arbeit, so möcht ich versinke,
und wenn ich soll spreche, ich hätt se nit lieb,
so wär ich e Dieb.

Und bin ich gestorbe, so laßt mich herabe,
und laßt mer vom Schreiner sechs Bretter abschabe,
und laßt mer zwee feurige Herzen druff male,
ich kann se bezahle!

Und laßt mer anstimme die Sterbegesänge:
Do leit nu der Esel die Quer un die Länge,
im Lebe do hatt er viel Liebesaffäre,
zu Dreck muß er were.

Wenn ich den Wandrer frage

Wenn ich den Landmann frage:
Wo gehst du hin?
Nach Hause, nach Hause,
spricht er mit frohem Sinn.

Wenn ich den Freund nun frage:
Wo blüht dein Glück?
Zu Hause, zu Hause,
spricht er mit frohem Blick.

Und wenn ihr mich nun fraget:
Was drückt dich schwer?
Ich kann nicht nach Hause,
hab keine Heimat mehr!

Mein Paradies

Am Ort, wo meine Wiege stand,
erblüht' mein erster Blick,
drum zieht es mich zu jeder Stund
nach diesem Ort zurück.
Ob ich auch heute nicht bei dir,
ob ich dich auch verließ,
o liebes, treues Mutterherz,
du bist mein Paradies!

Am Ort, wo meine Wiege stand,
möcht ich begraben sein;
ihm möcht ich noch den letzten Blick,
die letzte Träne weihn.
Dann ruh ich dort, wo einst ein Herz
voll Wehmut mich entließ,
o liebes, treues Mutterherz,
du bist mein Paradies!

Schön ist die Jugend

Man liebt die Mädchen bei frohen Zeiten,
man liebt die Mädchen zum Zeitvertreib.
Drum sag ich's noch einmal . . .

Es blühen Rosen, es blühen Nelken,
es blühen Rosen – sie welken ab.
Drum sag ich's noch einmal . . .

Ich hab ein' Weinstock, und der trägt Reben,
und aus den Reben fließt süßer Wein.
Drum sag ich's noch einmal . . .

Vergangne Zeiten komm'n niemals wieder,
verschwunden ist das junge Blut.
Drum sag ich's noch einmal . . .

Die Blume Männertreu

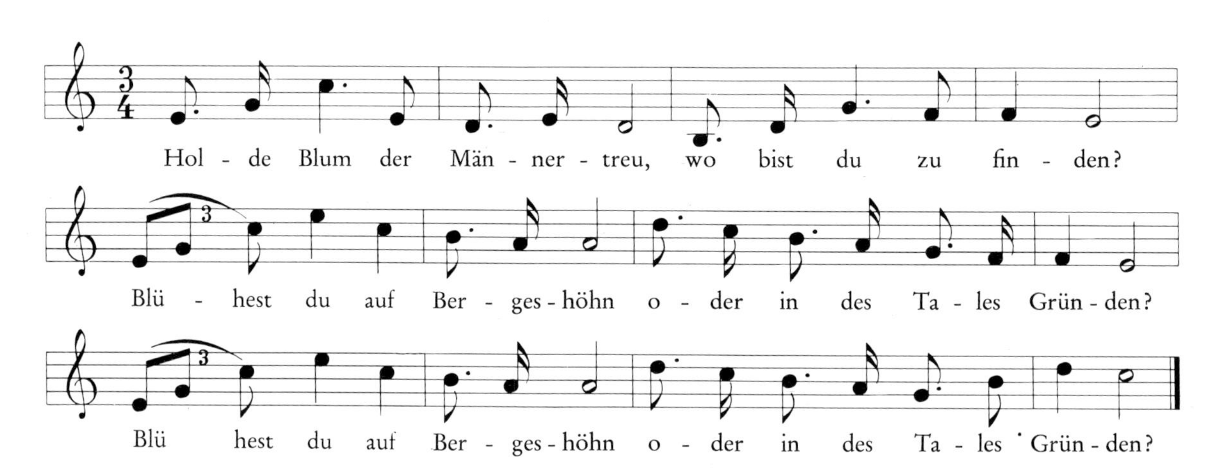

Sieh, da kommt ein blasses Weib
durch das Tal gegangen,
blaß vor Kummer ihr Gesicht,
Tränen rollen auf den Wangen.

Armes Weib, was suchest du
in des Tales Gründen?
Suche die Blume Männertreu,
kann sie aber nirgends finden.

Stelle du dein Suchen ein
in des Tales Gründen,
denn die Blum der Männertreu
kannst du Arme doch nicht finden.

Sieh, auch ich war jung und schön,
glaubt an Lieb und Treue,
Männertreue, die ist schön,
später aber kommt die Reue.

Traue drum den Männern nicht,
wenn sie mit dir scherzen,
keiner hält, was er verspricht,
spielen nur mit Weiberherzen.

Die alte Heimat

Die Welle rauschte wie vorzeiten,
am Waldweg sprang wie sonst das Reh,
von fern erklang, erklang ein Abendläuten,
die Berge glänzten aus dem See.

Doch vor dem Haus, wo uns vor Jahren
die Mutter stets empfing, dort sah
ich fremde Menschen, sah ein fremd Gebaren;
wie weh, wie weh mir da geschah!

Mir war, als rief es aus den Wogen:
Flieh, flieh, und ohne Wiederkehr!
Die du geliebt, sind alle fortgezogen
und kehren nimmer, nimmermehr.

Ein Mädchen kam einst von dem Lande

Sie wurde Magd bei reichen Leuten,
sie aber wollte hoch hinaus,
die Arbeit lockt sie nicht, nur Freuden,
sie sucht des Lebens Saus und Braus.

Von nun an trug sie seid'ne Kleider,
und ging spazieren in Berlin,
der großen Stadt, doch warf sie leider
ihr Schicksal hoch und sie ward hin.

Es kam ein Leutnant von der Garde,
der lud sie ein zum Maskenball:
Die schönste Maske sollst du tragen
von allen, die dort sind im Saal!

Als nun der Maskenball zu Ende,
da schlief sie ein, das war ihr Pech.
Da kam der Leutnant von der Garde
und raubte ihr die Unschuld weg.

Sie seufzte, schrie und war verzweifelt,
ins tiefste Wasser wollt sie gehn,
jedoch der Fluß war zugefroren
und keine Öffnung war zu sehn.

Nun hat sie all ihr Glück verloren,
nun kehrt sie heim ins Heimatland,
ein Kindelein ward dort geboren,
den Vater hat es nie gekannt.

Die Rasenbank am Elterngrab

Da zieht's mit Zaubermacht mich immer hin,
wenn Menschen mit mir streiten,
dort merk ich nicht, wie ich verlassen bin,
dort klag ich meine Leiden.
Da reden mir die Toten zu,
die Eltern mein, in ew'ger Ruh.
Der schönste Platz, den ich auf Erden hab,
das ist die Rasenbank am Elterngrab.

Und wenn ich einstens lebensmüde bin,
muß dieser Welt entsagen,
dann, guter Gott, gewähr die Bitte mir:
Laß mich zum Friedhof tragen.
Drückt mir der Tod die Augen zu,
dann legt mich dort zur ew'gen Ruh,
an jenem Platz, wo ich mein Liebstes hab,
dort bei der Rasenbank am Elterngrab.

Still ruht der See

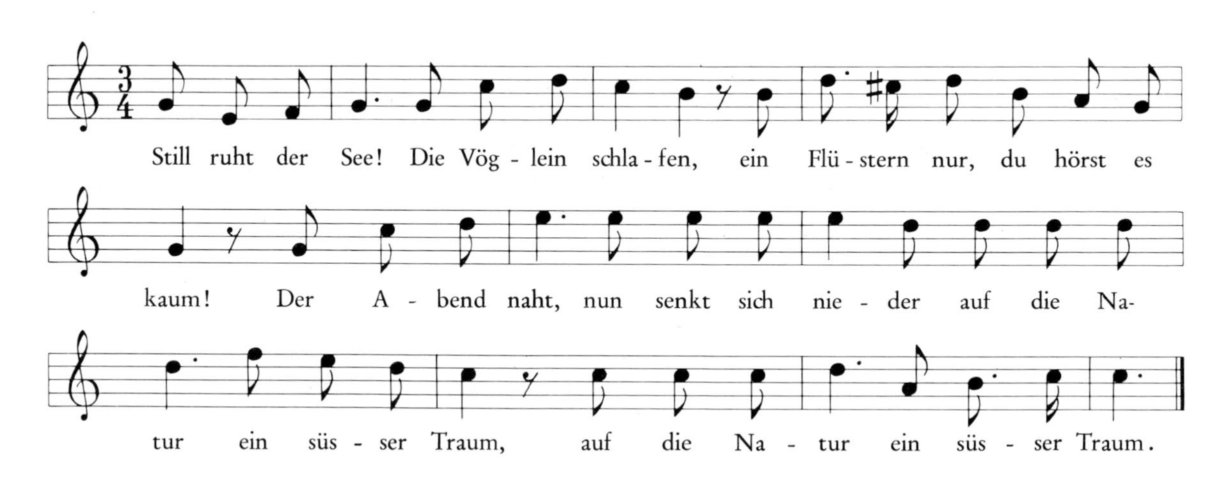

Still ruht der See! Durch das Gezweige
der heil'ge Odem Gottes weht;
die Blümlein an dem Seegestade,
sie sprechen fromm ihr Nachtgebet.

Still ruht der See! Vom Himmelsdome
die Sterne friedsam niedersehn.
O Menschenherz, gib dich zufrieden:
auch du, auch du wirst schlafen gehn.

Behüt dich Gott, es wär zu schön gewesen

Leid, Neid und Haß, auch ich hab sie empfunden,
ein sturmgeprüfter, müder Wandersmann.
Ich träumt von Frieden dann und stillen Stunden,
da führte mich der Weg zu dir hinan.
In deinen Armen wollt ich ganz genesen,
zum Danke dir mein junges Leben weihn:
Behüt dich Gott! es wär zu schön gewesen,
behüt dich Gott! es hat nicht sollen sein.

Die Wolken fliehn, der Wind saust durch die Blätter,
ein Regenschauer zieht durch Wald und Feld,
zum Abschiednehmen just das rechte Wetter,
grau wie der Himmel steht vor mir die Welt.
Doch, wend es sich zum Guten oder Bösen,
du schlanke Maid, in Treuen denk ich dein:
Behüt dich Gott! es wär zu schön gewesen,
behüt dich Gott! es hat nicht sollen sein.

Es wollt ein Mann in seine Heimat reisen

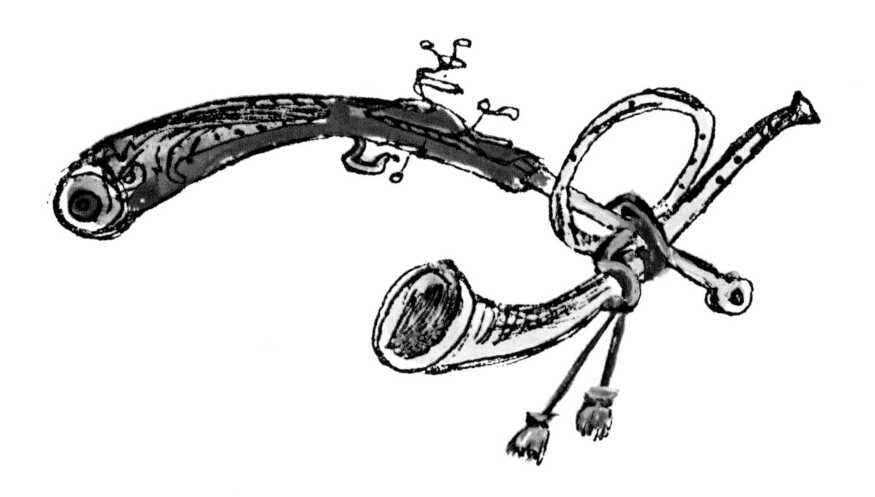

Gib her dein Geld, dein Leben ist verloren!
Gib her dein Geld, dein Leben ist dahin!
Gib her dein Geld, sonst muß ich dich durchbohren,
ich morde dich, so wahr ich Räuber bin!

Ich hab kein Geld, kann dir auch gar nichts geben,
von Geld und Reichtum ist mir nichts bewußt;
nimm hin mein Leben, will's dir gerne geben,
ich öffne dir von selbst die blasse Brust!

Da blieb der Räuber tiefbeklommen stehen
und sprach: Zum Morden hab ich keine Lust,
ach, aber ach, was muß ich bei dir sehen,
was trägst du da auf deiner bloßen Brust?

Es ist das Bild von meiner treuen Mutter,
das du da trägst auf deiner bloßen Brust,
ich aber muß als Räuber vor dir stehen,
verzeih mir, Bruder, ich hab's nicht gewußt!

Zwölf Jahre haben wir uns nicht gesehen,
zwölf Jahre haben wir uns nicht gekannt,
und ich muß jetzt als Räuber vor dir stehen,
der nach dem Bruder ausstreckt seine Hand!

In tiefem Schmerz umarmten sie sich beide.
Verzeihung! Ach, es ist schon längst geschehn!
Sie herzten sich und küßten sich voll Freude –
im Morgenland kann man's noch heute sehn.

Freut euch des Lebens

Wenn scheu die Schöpfung sich verhüllt
und laut der Donner ob uns brüllt,
so lacht am Abend nach dem Sturm
die Sonne uns so schön!

Wer Neid und Mißgunst sorgsam flieht
und G'nügsamkeit im Gärtchen zieht,
dem schießt sie schnell zum Bäumchen auf,
das goldne Früchte trägt.

Wer Redlichkeit und Treue übt
und gern dem ärmer'n Bruder gibt,
bei dem baut sich Zufriedenheit
so gern ihr Hüttchen an.

Und wenn der Pfad sich furchtbar engt
und Mißgeschick uns plagt und drängt,
so reicht die Freundschaft schwesterlich
dem Redlichen die Hand.

Sie trocknet ihm die Tränen ab
und streut ihm Blumen bis ans Grab,
sie wandelt Nacht in Dämmerung,
und Dämmerung in Licht.
Freut euch des Lebens,
weil noch das Lämpchen glüht,
pflücket die Rose,
eh sie verblüht.

Luise am Blumenbeet

Ich wollt es pflücken aus Herzenslust,
ich wollt es drücken an meine Brust.
Da sprach das Blümelein: Verschone mich, ja mich,
ich blühe morgen ja viel schöner noch für dich.

Am andern Morgen bei Nebelgraun,
da kam Luise, die Blum zu schaun.
Da war das Blümelein so blätterleer, ja leer. –
Ich hab geliebet und ich liebe nun nicht mehr.

Ich hab geliebet, hab auch genossen,
die Zeit der Jugend, sie ist verflossen,
kann nicht mehr lieben, kann nicht mehr glücklich sein,
die schönste Blume, ach, die heißt Vergißnichtmein.

Das Kreuz am Bande

Und was dies Band umschließet,
ein herrliches Geschenk:
Ein Haar von ihren Haaren
zum ew'gen Angedenk.

Nur das ist meine Wonne,
im Jammer oft mein Trost:
Wie oft hab ich so selig
den Lockenschmuck umkost!

Was soll das Schwarz bedeuten?
Das edle Herz ihr brach.
Das Blau, das soll dir sagen,
daß Treu nicht brechen mag.

Das Kreuz ruht auf dem Herzen,
das tiefen Kummer schlägt,
es ruhen erst die Schmerzen,
wenn man's zu Grabe trägt.

Das zerbrochene Ringlein

Sie hat mir Treu versprochen,
gar mir ein'n Ring dabei,
sie hat die Treu gebrochen,
mein Ringlein sprang entzwei.

Ich möcht als Reiter fliegen
wohl in die blut'ge Schlacht,
um stille Feuer liegen
im Feld bei dunkler Nacht.

Ich möcht als Spielmann reisen
weit in die Welt hinaus
und singen meine Weisen
und gehn von Haus zu Haus.

Hör ich das Mühlrad gehen:
ich weiß nicht, was ich will –
ich möcht am liebsten sterben,
da wär's auf einmal still.

Weint mit mir

Denn es wohnt allhier in eurer Mitte
sanft und still ein Mädchen voller Güte.
Ach von ihr, ja, ach von ihr,
ach von ihr entfernt zu sein, ist schwer.

Sie verschwur, des Nachts mir zu erscheinen,
sich mit mir auf ewig zu vereinen,
wenn die süße, ja, wenn die süße,
wenn die süße Geisterstunde schlägt.

Zwölf am Kirchhofturme sind vorüber,
müd und matt sind alle meine Glieder,
einsam steh ich, ja, einsam steh ich,
einsam steh ich hier an ihrer Gruft.

Horch! was rauscht dort an der Kirchhofsmauer
leis herab in einer stillen Trauer?
Immer näher, ja, immer näher,
immer näher kommt es auf mich zu.

Ganz schneeweiß in einem Sterbekleide,
schön geschmückt mit himmlischem Geschmeide.
Ach wenn es doch, ja, ach wenn es doch,
ach wenn es doch Wilhelmine wär!

Ja, ich bin's, sprach sie mit leiser Stimme,
Vielgeliebter, deine Wilhelmine,
flieh vor mir, ja, flieh vor mir,
flieh vor mir, bis einst der Tod dich ruft!

Soll ich dich, Geliebte, schon verlassen,
kann ich dich denn gar nicht mehr umfassen?
Ach so schlumm're, ja, ach so schlumm're,
ach so schlumm're sanft in deiner Gruft!

Steig hinab in deine Erdenkammer,
mach mir Platz, denn mich verzehrt der Jammer,
und bis morgen, ja, und bis morgen,
und bis morgen bin ich schon bei dir!

Holder Jüngling, willst du fliehen

Denkst du noch an jene Stunde,
da wir uns zuerst gesehn?
Liebe sprach aus deinem Munde,
damals war ich jung und schön.
Damals war ich froh und heiter,
damals hast du mich geliebt,
und jetzt willst du wieder weiter,
fort von der, die dich so liebt.

Oder hast in fernem Lande
eine andre, die du liebst,
die jetzt trennet unsre Bande,
die dich heimlich von mir zieht?
Gehst du fort, dann muß ich weinen,
denn du warst mein ganzes Glück,
nimm mich mit, hin zu den Deinen,
laß mich nicht allein zurück!

Als der Jüngling früh am Morgen
sich aus ihren Armen wand,
frei von Kummer, frei von Sorgen
eilt er an des Meeres Strand.
Wo die Wellen lustig rauschen,
riß ein Strudel ihn hinab
fern von der, die er betrogen,
in den Wellen ward sein Grab.

Jägerblut

Ich schieß den Hirsch im wil - den Forst, im tie - fen Wald das
Reh, den Ad - ler auf der Klip - pe Horst, die En - te auf dem
See. Kein Ort, der Schutz ge - wäh - ren kann, wo mei - ne Büch - se zielt, und
den - noch hab ich har - ter Mann die Lie - be auch ge - fühlt, und
den - noch hab ich har - ter Mann die Lie - be auch ge - fühlt.

Kampiere oft zur Winterzeit
in Sturm und Wetternacht,
hab überreift und überschneit
den Weg zum Bett gemacht.
Auf Dornen schlief ich wie auf Flaum,
vom Nordwind unberührt —
und dennoch hat die harte Brust
die Liebe auch gespürt.

Der wilde Falk ist mein Gesell,
der Wolf mein Kampfgespan.
Der Tag geht mir mit Hundsgebell,
die Nacht mit Hussa an.
Ein Tannreis schmückt statt Blumenzier
den schweißbefleckten Hut —
und dennoch schlug die Liebe mir
ins wilde Jägerblut.

Mariechen saß weinend im Garten

Der Geier schwebt über die Berge,
die Möwe zieht einsam daher,
der Sturmwind braust über die Wogen,
es fallen die Tropfen schwer.
Schwer von Mariechens Wangen
eine heiße Träne rinnt;
sie hält in ihren Armen
ihr einziges, schlummerndes Kind.

Was schläfst du so süß und so träumend,
du armes Kindelein;
dein Vater hat uns verlassen,
dich und die Mutter dein.
Drum stürzen wir uns beide
dort in den tiefen See;
vorüber ist alles Leiden,
vorüber ist alles Weh!

Da öffnet das Kindlein die Augen,
schaut auf zur Mutter und lacht.
Die Mutter weinet vor Freude,
drückt's an ihr Herz und sagt:
Nein, nein, wir wollen leben,
wir beide, du und ich;
deinem Vater sei's vergeben,
wie glücklich machst du mich!

So saß Mariechen am Strande
manch lange, dunkle Nacht,
bis daß aus fernem Lande
ein Schiff die Botschaft bracht:
Das Kind in deinem Schoße
hat keinen Vater mehr;
es ruht ein braver Matrose
im weiten, tiefen Meer.

Zieht im Herbst die Lerche fort

Ist mir doch das Herz so bang,
daß ich scheiden muß!
Drückte ich auf Lipp und Wang
gern der Liebe Kuß.
Abschied nehm ich nun von dir,
denn es ruft die Pflicht.
Lieder hat die Lerche wohl,
Küsse hat sie nicht.

Bei des Frühlings Wiederkehr
kommt die Lerch zurück,
und Erinn'rung bringt sie her
von vergang'nem Glück;
brächte sie von dir ein Wort,
mir so hold, so licht!
Lieder hat die Lerche wohl,
Grüße hat sie nicht!

Und nach langem Trennungsschmerz
kehr auch ich zurück,
sinke an dein treues Herz,
lächelt mir dein Blick;
und dies Lächeln gleicht der Sonn,
die durch Wolken bricht.
Lieder hat die Lerche wohl,
Lächeln hat sie nicht.

Die Träne

Macht man ins Le - ben kaum den er - sten Schritt, bringt man als
Kind schon ei - ne Trä - ne mit; und Freu - den - trä - nen gibt als er - sten
Gruß dem Kind die Mut - ter mit dem er - sten Kuß. Man wächst em-
por dann zwi - schen Freud und Schmerz, da zieht die Lie - be in das jun - ge
Herz, und of - fen - bart das Herz der Jung - frau sich, spricht ei - ne
Trä - ne: Ja, ich lie - be dich! spricht ei - ne Trä - ne: Ja, ich lie - be dich!

Wie schön ist doch die Träne einer Braut,
wenn dem Geliebten sie ins Auge schaut!
Und werden beide sie erst Weib und Mann,
da geht der Kampf mit Not und Sorgen an.
Doch wenn der Mann die Hoffnung schon verlor,
blickt noch das Weib vertrauensvoll empor
zur Sternenwelt, zum heitern Himmelslicht,
und eine Träne spricht: Verzage nicht!

Der Mann wird Greis, die Scheidestunde schlägt,
da stehn um ihn die Seinen tiefbewegt,
und aller Augen sieht man tränenvoll,
sie bringen sie als letzten Liebeszoll.
Doch still verklärt blickt noch umher der Greis
in seiner Kinder, seiner Enkel Kreis,
im letzten Kampf, ja selbst schon im Vergehn,
spricht eine Träne noch: Auf Wiedersehn!

Der Negersklave

Spielend einst am Meeresstrande,
raubten falsche Menschen mich,
schleppten mich in fremde Lande,
schlugen mich in Sklavenbande.
Habt Erbarmen! flehte ich,
ach, ich weinte bitterlich.

Hoffnungslos muß ich verzagen,
teure Eltern, euch zu seh'n;
meine Leiden, meine Klagen
wollt ich still und mutig tragen,
selbst zum Tode wollt ich geh'n,
könnt ich euch noch einmal seh'n!

Von der Wanderschaft zurück

Als er sie im Haus nicht sieht,
wird so bang ihm ums Gemüt;
fragt die Bäume in dem Wald
nach des Liebchens Aufenthalt;
bittet all die Blümlein schön,
daß sie mit ihm suchen gehn,
suchen auf den grünen Au'n,
doch kein Liebchen war zu schaun.

Da, des Nachts, bei Mondenschein
tritt er in den Friedhof ein,
und bei hellem Sternenglanz
sieht er einen Myrtenkranz.
Zwischen Ros und Rosmarin
stand der Liebsten Name drin;
jetzt erst wird's dem Jüngling klar,
wo die Braut zu finden war.

Muttersegen

Deiner Wünsche heißes Sehnen,
mich zu sehn am Traualtar,
mußte in das Grab dich legen,
eh dein Wunsch erfüllet war.
Mutter, gib mir deinen Segen,
teure Mutter, segne mich!

Ach, daß ich darum muß flehen,
Mutter, o wie schmerzt das mich!
All der Wort muß widerstehen,
dennoch weinend bitt ich dich:
Mutter, gib mir deinen Segen,
teure Mutter, segne mich!

Wer das Lieben hat erfunden

Hätt ich Tint und hätt ich Feder,
hätt ich Zeit und Schreibpapier,
würd ich dir die Zeit aufschreiben
die du in der Liebe weilst bei mir.

Ich muß wandern fremde Straßen,
fremde Menschen schauen an;
meine Augen sind voll Tränen,
weil ich dein nicht werden kann.

Ist alles dunkel, ist alles trübe

Was nützet mir ein schöner Garten,
wenn andre drin spazieren gehn
und pflücken mir die Röslein ab,
woran ich meine Freude hab.

Was nützet mir ein schönes Mädchen,
wenn andre mit spazieren gehn
und küssen ihr die Schönheit ab,
woran ich meine Freude hab.

Bald kommen nun die schwarzen Brüder
und tragen mich zum Tor hinaus
und legen mich ins kühle Grab,
worin ich ewig Ruhe hab.

Und pflanzet mir auf meinem Grabe
wohl Rosmarin und Thymian,
gar viele Blumen auf mei'm Grab,
woran ich meine Freude hab.

Durch's Wiesetal gang i jetzt na

* Schlüsselblumen

Und wenn i's verlore doch hab,
warum liegt's denn net in sein'm Grab?
Tät zum Grab ja mit Klage
e Sträußele ihm trage
aus lauter Batenka und Klee:
I han jo koi Schätzele meh!

Ach, 's lebt ja und ist mir net treu!
Und i weiß, jetzt ist alles vorbei,
und die Rose und die Nelke
müsset traurig all verwelke,
verwelke Batenka und Klee:
I han jo koi Schätzele meh!

Kein Heimatland, kein Mutterhaus

Und als ich zog zum Militär,
da sah ich all die andern.
Wie war der Abschied ihnen schwer,
vom Hause fortzuwandern.
Man blies zum Abschied das Signal
und alles küßt sich noch einmal.
So leb denn wohl, geliebtes Mütterlein!
so hört ich rings die Kameraden schrei'n.
Die Mutter aber litt gar herbe Not,
die weint vor Kummer sich die Augen rot.
Mir war dabei so sonderbar zu Sinn,
mir reicht kein Mensch die Hand zum Abschied hin,
und traurig wend ich mich von jener Stätt:
Wenn ich doch eine Mutter hätt!

Und als mich packt der Sehnsucht Qual,
griff ich zum Wanderstabe
und sucht und suchte überall
der Heimat süße Labe.
So kam ich einst zur Weihnacht dann
in einem kleinen Orte an.
Ich sah die Kerzen, sah den Tannenbaum,
und Wehmut faßte mich, man glaubt es kaum.
Ich floh die Nähe, bis ich — sonderbar —
allein auf einem Gottesacker war.
Hier also war mein Heim, hier war mein Glück,
o schnöde Welt, du stießest mich zurück!
Ich weint am Grab und sprach ein still Gebet:
Wenn ich doch eine Mutter hätt!

Im Traum sah ich mein Ende nahn
in einem Waisenhause.
Vier Kerzen brannten am Altar
in einer stillen Klause.
Der Priester stand an meiner Seit,
bis daß ich ging zur Ewigkeit.
Kein Mütterlein drückt mir die Augen zu,
kein Schluchzen störte mich in meiner Ruh,
verlassen, wie ich einst im Leben war,
verlassen lag ich auf der Totenbahr.
So legte man mich in den Sarg hinein,
kein Kranz, der schmückte meinen Leichenstein,
mit kühler Erde deckte man mich zu,
so fand ein Findling seine Ruh.

Nach Sibirien muß ich jetzt reisen

Von den Meinen gewaltsam gerissen,
von den Meinen gewaltsam getrennt,
kann im Leben sie nimmermehr küssen,
die mich Gatten, mich Vater genannt.
O wer trocknet den Meinen die Tränen,
die das Auge der Unschuld geweint?
Mit der Rache will ich mich versöhnen,
nennst du mir, o Geschick, einen Freund.

Wenn ich nun nach Sibirien muß ziehen,
von der Sonn in die finstere Nacht,
weiß ich, daß ich nie mehr kann entfliehen,
und mein Schicksal, dort ist es vollbracht.
O laß schau'n mich noch einmal hienieden,
nach der Heimat noch einmal zurück!
Keine Hoffnung ist mir mehr geblieben
auf die Freiheit, mein einziges Glück.

Verborgene Liebe

Ich weiß schon längst, was dir verdrossen,
daß ich die Tür hab zugeschlossen,
und daß du konntest nicht herein,
das wird gewiß dein Ärger sein.

Und wärest du allein gekommen,
so hätt ich dich hereingenommen,
denn zwei und drei, das sind zuviel,
nur du allein, du warst mein Ziel.

Und kommst du in ein ander Städtchen,
so find'st du gleich ein ander Mädchen,
da wünsch ich dir viel Glück dazu,
bis an die stille Grabesruh.

Die Tränen, die ich hab vergossen,
die sind aus meinem Herz geflossen,
die Tränen wisch ich nicht mehr ab,
ich nehm sie mit ins kühle Grab.

Das Denkmal, das ich von dir habe,
das nehm ich mit zu meinem Grabe,
das Denkmal geb ich nicht mehr raus,
ich nehm es mit ins Totenhaus.

Rinaldo Rinaldini

Rinaldini! ruft sie schmeichelnd,
Rinaldini, wache auf!
Deine Leute sind schon munter,
längst schon ging die Sonne auf!

Und er öffnet seine Augen,
lächelt ihr den Morgengruß;
sie sinkt sanft in seine Arme
und erwidert seinen Kuß.

Und der Hauptmann, wohl gerüstet,
tritt nun mitten unter sie:
Guten Morgen, Kameraden,
sagt, was gibt's denn schon so früh?

Draußen bellen laut die Hunde,
alles flüchtet hin und her;
jeder rüstet sich zum Kampfe,
ladet doppelt sein Gewehr.

Unsre Feinde sind gerüstet,
ziehen gegen uns heran.
Nun wohlan, sie sollen sehen,
daß der Waldsohn fechten kann.

Laßt uns fallen oder siegen!
Alle rufen: Wohl, es sei!
Und es tönen Berg und Wälder
rundherum vom Feldgeschrei.

Seht sie streiten, seht sie kämpfen,
jetzt verdoppelt sich ihr Mut!
Aber ach, sie müssen weichen,
und vergebens strömt ihr Blut.

Rinaldini, eingeschlossen,
haut sich mutig kämpfend durch
und erreicht im finstern Walde
eine alte Felsenburg.

Zwischen hohen düstern Mauern
lächelt ihm der Liebe Glück!
Es erheitert seine Seele
Dianorens Zauberblick.

Rinaldini! Lieber Räuber!
Raubst den Weibern Herz und Ruh!
Ach! Wie schrecklich in dem Kampfe,
wie verliebt im Schloß bist du!

An die Abendsonne

Schon in zarter Jugend sah ich gern nach dir,
und der Trieb zur Tugend glühte mehr in mir,

Wenn ich so am Abend staunend vor dir stand,
und an dir mich labend Gottes Huld empfand.

Doch von dir, o Sonne, wend ich meinen Blick
mit noch größ'rer Wonne auf mich selbst zurück.

Schuf uns ja doch beide eines Schöpfers Hand,
dich im Strahlenkleide, mich im Staubgewand.

Im schönsten Wiesengrunde

Muß aus dem Tal jetzt scheiden,
wo alles Lust und Klang!
Das ist mein herbstes Leiden,
mein letzter Gang.
Dich, mein stilles Tal,
grüß ich tausendmal –
das ist mein herbstes Leiden,
mein letzter Gang.

Sterb' ich, in Tales Grunde
will ich begraben sein;
singt mir zur letzten Stunde
beim Abendschein!
Dich, mein stilles Tal,
grüß ich tausendmal –
singt mir zur letzten Stunde
beim Abendschein!

Fern im Süd das schöne Spanien

Lang schon wandr' ich mit der Laute
traurig hier von Haus zu Haus,
doch kein helles Auge schaute
freundlich noch nach mir heraus.
Spärlich reicht man mir die Gaben,
mürrisch heißet man mich gehn;
ach, den armen, braunen Knaben
will kein einziger verstehn.

Dieser Nebel drückt mich nieder,
der die Sonne mir entfernt,
und die alten lust'gen Lieder
hab ich alle schon verlernt.
Ach, in alle Melodien
schleicht der eine Klang sich ein:
In die Heimat möcht ich ziehen,
in das Land voll Sonnenschein!

Als beim letzten Erntefeste
man den großen Reigen hielt,
hab ich jüngst das allerbeste
meiner Lieder aufgespielt.
Doch, wie sich die Paare schwangen
in der Abendsonne Gold,
sind auf meine dunkeln Wangen
heiße Tränen hingerollt.

Ach, ich dachte bei dem Tanze
an des Vaterlandes Lust,
wo im duft'gen Mondenglanze
freier atmet jede Brust,
wo sich bei der Zither Tönen
jeder Fuß beflügelt schwingt
und der Knabe mit der Schönen
glühend den Fandango schlingt.

Nein! Des Herzens sehnend Schlagen,
länger halt ich's nicht zurück;
will ja jeder Lust entsagen,
laßt mir nur der Heimat Glück!
Fort zum Süden, fort nach Spanien!
In das Land voll Sonnenschein!
Unterm Schatten der Kastanien
muß ich einst begraben sein!

Der schwere Traum

Ein Kirchhof war der Garten,
ein Blumenbeet das Grab,
und von dem grünen Baume
fiel Kron und Blüte ab.

Die Blüten tät ich sammeln
in einen goldnen Krug,
der fiel mir aus den Händen,
daß er in Stücke schlug.

Draus sah ich Perlen rinnen
und Tröpflein rosenrot.
Was mag der Traum bedeuten?
Ach, Liebchen, bist du tot?

Aus der Jugendzeit

O du Heimatflur, o du Heimatflur,
laß zu deinem sel'gen Raum
mich noch einmal nur, mich noch einmal nur
entfliehn, entfliehn im Traum.
Als ich Abschied nahm, als ich Abschied nahm,
war die Welt mir voll so sehr,
als ich wiederkam, als ich wiederkam,
war alles leer.

Wohl die Schwalbe kehrt, wohl die Schwalbe kehrt
und der leere Kasten schwoll –
ist das Herz geleert, ist das Herz geleert,
wird's nie, wird's nie mehr voll.
Keine Schwalbe bringt, keine Schwalbe bringt
dir zurück, wonach du weinst,
doch die Schwalbe singt, doch die Schwalbe singt
wie einst, wie einst.

Nun leb' wohl, du kleine Gasse

Hier in weiter, weiter Ferne,
wie's mich nach der Heimat zieht!
Lustig singen die Gesellen,
doch es ist ein falsches Lied.

Andre Städtchen kommen freilich,
andre Mädchen zu Gesicht.
Ach, wohl sind es andre Mädchen,
doch die Eine ist es nicht.

Andre Städtchen, andre Mädchen,
ich da mitten drin so stumm –
andre Mädchen, andre Städtchen,
o wie gerne kehrt ich um!

Wenn ich mich nach der Heimat sehn

Ja, als die Mutter ging zur Ruh
und ich ihr druckt die Augen zu,
wie war das Herz so tränenreich,
wie stand ich da vor Leid so bleich;
doch der dort kennt das Herzeleid
und gab zum stillen Trost mir Freud,
wenn ich zu meinem Kinde geh,
aus seinem Aug die Mutter seh.

Da freu ich mich in sel'ger Lust,
mein liebes Kind an meiner Brust,
ich ruf die Jugendzeit zurück,
Erinn'rung ist mein größtes Glück.
So leb ich halt und wart voll Ruh,
bis der dort oben mir ruft zu:
Komm rauf, von deinem Kinde geh,
bei mir die Mutter wiederseh!

Seemanns Los

Als nun die stürmische Nacht vorbei,
ruht, ach, so tief das Schiff.
Dort zieh'n Delphine und gier'ge Hai
rings am hohen Riff.
Von allen Menschen, so lebensfroh,
keiner dem graus'gen Tod entfloh,
dort unten auf dem Meeresgrund
schlummern sie friedlich mit bleichem Mund.
Still rauscht das Meer jetzt sein uraltes Lied,
mahnend dringt es uns tief ins Gemüt.
Seemann, gib acht, Seemann, gib acht,
horch, was der Wind und das Meer dir sagt:
Schlaft wohl, schlaft wohl!
Unter Korallen in friedlicher Ruh
schläfst dereinst auch du,
unter Korallen in friedlicher Ruh
schläfst dereinst auch du.

Der Wilddieb

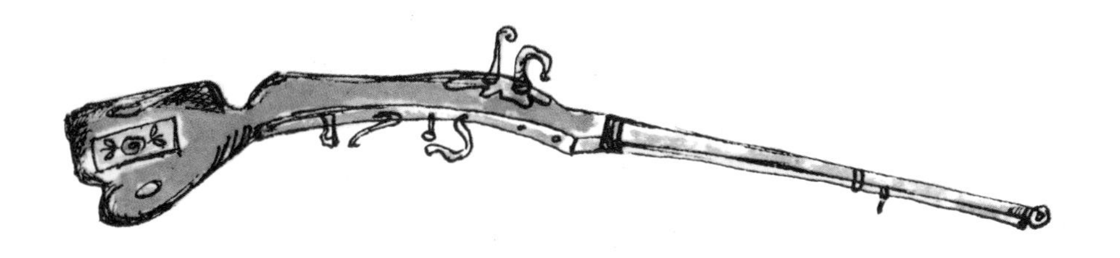

Da tritt aus dem nahen Gebüsche
ein stolzer Hirsch hervor.
Er wittert nach allen Seiten,
hebt stolz sein Geweih empor.

Halt, Schurke! Die Büchse herunter!
so tönt es von drüben her.
Dich, Wilddieb, dich such ich schon lange,
von der Stelle kommst du mir nicht mehr!

Der Wilddieb, der gibt keine Antwort,
er kennt seine sichere Hand.
Ein Knallen und gleich drauf ein Aufschrei,
und der Förster lag sterbend im Sand.

Da drückte der Wilddieb dem Förster
die gebrochenen Augen zu
und flüsterte leise die Worte:
Gott schenke dir ewige Ruh!

Du bist im Zweikampf gefallen,
da hieß es nur du oder ich.
Du hast deine Pflicht treu erfüllet,
doch das Wildern, das lasse ich nicht!

Das Waisenkind

Sie wand aus Blümchen einen Strauß
und warf ihn in den Strom.
Ach, guter Vater, rief sie aus,
ach, lieber Bruder, komm!

Ein reicher Herr gegangen kam
und sah des Mädchens Schmerz,
sah ihre Tränen, ihren Gram,
und dies brach ihm das Herz.

Was fehlet, liebes Mädchen, dir?
Was weinest du so früh?
Sag deiner Tränen Ursach mir,
kann ich, so heb ich sie.

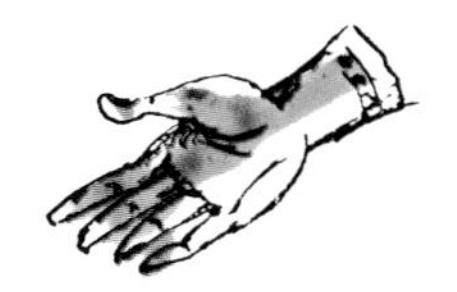

Ach, lieber Herr, sprach sie und sah
mit trübem Aug ihn an.
Du siehst ein armes Mädchen da,
dem Gott nur helfen kann.

Denn sieh, dort jene Rasenbank
ist meiner Mutter Grab;
und ach, vor wenig Tagen sank
mein Vater hier hinab.

Der wilde Strom riß ihn dahin,
mein Bruder sah's und sprang
ihm nach; da faßt der Strom auch ihn,
und ach, auch er ertrank.

Nun ich im Waisenhause bin,
und wenn ich Rasttag hab,
schlüpf ich zu diesem Flusse hin
und weine mich recht ab.

Sollst nicht mehr weinen, liebes Kind,
ich will dein Vater sein,
du hast ein Herz, das es verdient,
du bist so fromm und rein.

Er tat's und nahm sie in sein Haus,
der gute, reiche Mann,
zog ihr die Trauerkleider aus
und zog ihr schön're an.

Sie aß an seinem Tisch und trank
aus seinem Becher satt.
Du guter Reicher, habe Dank
für deine edle Tat!

Am stillen Ort

Am Grabe stand ein Jäger dort,
betrachtet wehmutsvoll den Ort;
gestützt auf seinen Büchsenlauf
schaut er betrübt zum Kreuz hinauf.

Da sprach der Jäger wehmutsvoll:
Ihr Kampfgenossen, schlummert wohl!
O zürnet nicht, daß ich hier steh
und euer Grab am Leben seh.

Das sprach der Jäger inniglich;
da teilten rasch die Wolken sich,
der Mond tritt raus im vollsten Glanz,
bestrahlt das Kreuz mit Silberglanz.

Weine eine Träne mir

In der Blüte meiner schönsten Jugend
gab ich mich zum Opfer für dich hin.
Raubtest mir die Unschuld zarter Tugend;
Spott und Hohn war für mich mein Gewinn.

Nanntest mich dein Alles nur im Beben,
drücktest mich an deine zarte Brust,
konnte nur in Wonne mit dir leben,
Spott und Hohn war für mich mein Verlust.

Stehst du einst an meines Grabes Rande,
siehest du den Leichenstein vor dir,
oh, so gönne mir noch eine Gabe:
Weine eine heiße Träne mir!

Nach der Heimat möcht ich wieder

Deine Täler, deine Höhen,
deiner heil'gen Wälder Grün,
o die möcht ich wieder sehen,
dorthin, dorthin möcht ich ziehn.
Teure Heimat, sei gegrüßt,
in der Ferne sei gegrüßt,
sei gegrüßt in weiter Ferne,
teure Heimat, sei gegrüßt!

Doch mein Schicksal will es nimmer,
durch die Welt ich wandern muß.
Trautes Heim, dein denk ich immer,
trautes Heim, dir gilt mein Gruß.
Teure Heimat, sei gegrüßt,
in der Ferne sei gegrüßt,
sei gegrüßt in weiter Ferne,
teure Heimat, sei gegrüßt!

Der Rattenfänger

Bald fang ich Ratten, bald Mäuse mir ein,
dann wieder Mägdlein lieblich und fein!
Solch kleine Spröde, herzig und zart,
freudig zu küssen, ist meine Art!
Fühlt sie erglühen das Herz ihr so warm
und will entfliehen aus meinem Arm,
rufe ich leise: O sei nicht bang,
hör doch das Flehen, Spiel und Gesang
des fahrenden Sängers, von niemand gekannt,
des Rattenfängers aus fernem Land!

Endet mein Streben, endet mein Sein,
stand ja auf Erden immer allein;
trotz Kummer, Sorgen, war fröhlich mein Sinn,
gehe mit Freuden die letzte Fahrt hin!
Die Himmelstüre, die Petrus bewacht,
wird mir mit Freuden sofort aufgemacht!
Wer bist du, Wandrer? Was dein Begehr?
Ei, ruf ich, Petrus, seht, wer kommt daher?
Ein fahrender Sänger, von dir doch gekannt,
der Rattenfänger aus fernem Land!

Die Heldin Isabell

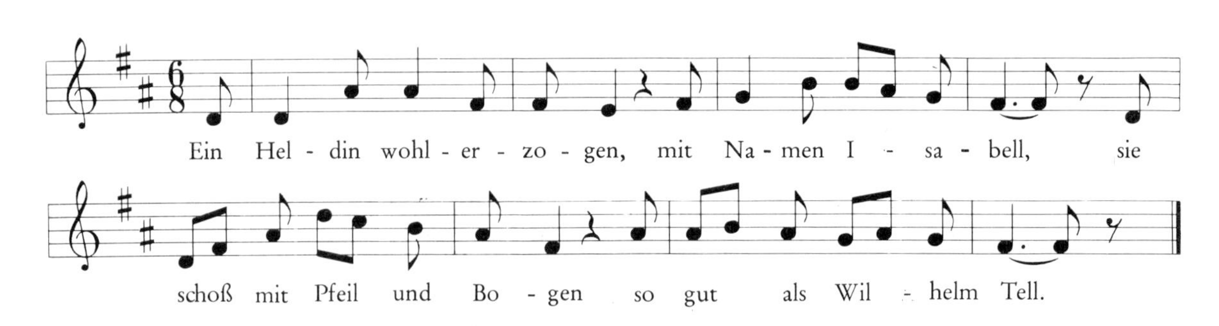

Ein Ritter jung an Jahren,
mit Namen Eduard,
in einem Ritterspiele
in sie verliebet ward.

Er schenkt ihr in der Stille
den schönsten Ritterstrauß,
doch nichts brach ihren Willen,
sie schlug ihm alles aus.

Fahr hin, du stolze Spröde,
dein Stolz wird dich gereun.
Wenn ich einst tot sein werde,
wirst du in Tränen sein.

Einst ritt sie eine Strecke
als Jäg'rin in das Holz,
da erblickte sie in einer Hecke
einen Bären gar ernst und stolz.

Bleich, wie vom Blitz getroffen,
faßt sich das kühne Weib
und schoß mit Pfeil und Bogen
dem Bären durch den Leib.

Das Roß mußt ihrer warten,
sie eilt zum Bären hin,
da erblickt sie Eduarden,
in Bärenhaut gehüllt.

Er konnte nicht mehr sprechen,
sein Aug umzog ein Flor,
und noch in seinem Röcheln
warf er ihr Unrecht vor.

Und wieder nach sechs Wochen,
vor Gram verzehrt sie ward,
begrub man ihre Knochen
im Staube von Eduard.

Das Edelweiß

Das Dirndl sagt zu ihrem Buam:
So a Sträußel hätt i gern!
Geh, bring mir so a Sträußel her
mit solchen weißen Stern.

Da eilt der Bua mit schnellem Schritt
im selben Augenblick.
Der Sonntag kommt, der Morgen graut,
der Bua kehrt nicht zurück.

Er liegt verlassen drunt' im Tal
bei einer Felsenwand.
Das Edelweiß, ganz blutig rot,
hält fest er in der Hand.

Und wenn des Abends tief im Tal
die Abendglocke läut',
da kniet das Dirndl still und weint,
da liegt ihr' einz'ge Freud.

Horch, was kommt von draußen rein

Leute haben's oft gesagt,
daß ich ein Feinsliebchen hab.
Laß sie reden, ich schweig still,
kann doch lieben, wen ich will.
Hollahihaho!

Wenn mein Liebchen Hochzeit hat,
ist für mich ein Trauertag;
geh ich in mein Kämmerlein,
trage meinen Schmerz allein.
Hollahihaho!

Liebchen sagt mir's ganz gewiß,
wie es mit dem Lieben ist:
Die man liebt, die kriegt man nicht,
die man kriegt, die liebt man nicht.
Hollahihaho!

Wenn ich dann gestorben bin,
trägt man mich zum Grabe hin;
pflanzt drauf Rosen und Vergißnichtmein.
Lebewohl, gedenke mein!
Hollahihaho!

Ritter Ewald und seine Lina

Herrlich blühte der Holunder,
Rosenduft war um sie her,
aber Linas Herz war traurig,
und die Tränen flossen schwer.

Liebste Lina, laß das Weinen,
Lina, laß das Weinen sein!
Wenn die Rosen wieder blühen,
will ich wieder bei dir sein.

Und kaum war das Jahr verflossen,
als der Rose Knospe brach,
schlich sich Ewald in den Garten,
wo zuletzt er Lina sprach.

Doch was fand er da statt Lina?
Einen Grabstein ins Spalier,
und die Worte draufgeschrieben:
Lina weilet nicht mehr hier.

Ewald, der zog fort ins Kloster,
legte Schwert und Panzer ab.
Doch kaum war ein Jahr verflossen,
gruben Mönche ihm ein Grab.

Zerdrück die Träne nicht in deinem Auge

Allein die Träne ist das Kind der Schmerzen,
sie kommt dir aus der tiefbewegten Brust.
Wie konnt ich auch mit deinen Tränen scherzen,
und wie sie sehn mit grauenvoller Lust?
O nimm mein Herzblut für die Träne hin
und glaub, daß ich auf ewig dankbar bin!

Gedulde dich, ich will die Träne stillen,
und ruh indes an meiner treuen Brust;
die heil'gen Schwüre all werd ich erfüllen,
und aus dem Schmerz erblüht dir neue Lust.
O weine nicht! An Gottes Traualtar
flecht ich dir bald die Myrthe in das Haar!

Einst stand ich am Eisengitter

Ach, wie bin ich so verlassen
von der Welt und jedermann,
Freund und Feinde tun mich hassen,
niemand nimmt sich meiner an.

Einen Vater, den ich hatte,
den ich oftmals Vater nannt,
meine Mutter, die mich liebte,
die hat mir der Tod entwandt.

Beide sind von mir geschieden,
beide sind von mir getrennt,
sie genießen Himmelsfrieden,
und ich leb in Traurigkeit.

Holder Jüngling, meinst du's ehrlich
oder treibst du mit mir Scherz?
Männerränke sind gefährlich
für ein junges Mädchenherz.

Holder Jüngling, nimm zum Pfande
dieses blondgelockte Haar
mit dem rosaseidnen Bande,
das an meinem Busen war.

Wer magst du einst gewesen sein?

Ich nahm ihn leis in meine Hand,
weil ich so vieles an ihm fand.
Ich flüstert ihm ein leises Ach!
und dachte über vieles nach.

Wer magst du einst gewesen sein,
da du noch trugest Fleisch und Bein?
Die Asche flog wohl in den Wind,
da sieht man erst, was Menschen sind!

Gold und Silber

Doch viel schöner ist das Gold,
das vom Lockenköpfchen
meines Liebchens niederrollt
in zwei blonden Zöpfchen.
Darum du, mein liebes Kind,
laß dich herzen, küssen,
bis die Locken silbern sind
und wir scheiden müssen.

Seht, wie blinkt der goldne Wein
hier in meinem Becher,
horch, wie klingt so silberrein
froher Sang der Zecher!
Daß die Zeit einst golden war,
will ich nicht bestreiten,
denk ich doch im Silberhaar
gern vergangner Zeiten.

Die drei Rösele

Do laß i meine Äugele
um und um gehn,
do sieh'n i mei herztausige Schatz
bei'men andere stehn.

Und bei'men andre stehe sehn,
ach, des tut weh!
Jetzt b'hüt di Gott, herztausige Schatz,
die siehn i nimme meh!

Jetzt kauf i mir Tinten
und Feder und Papier
und schreib mei'm herztausige Schatz
einen Abschiedsbrief.

Jetzt leg i mi nieder
aufs Heu und aufs Stroh,
do falle drei Rösele
mir in den Schoß.

Und diese drei Rösele
sind rosenrot,
jetzt weiß i net, lebt mei Schatz
oder ist er tot.

Tief im Böhmerwald

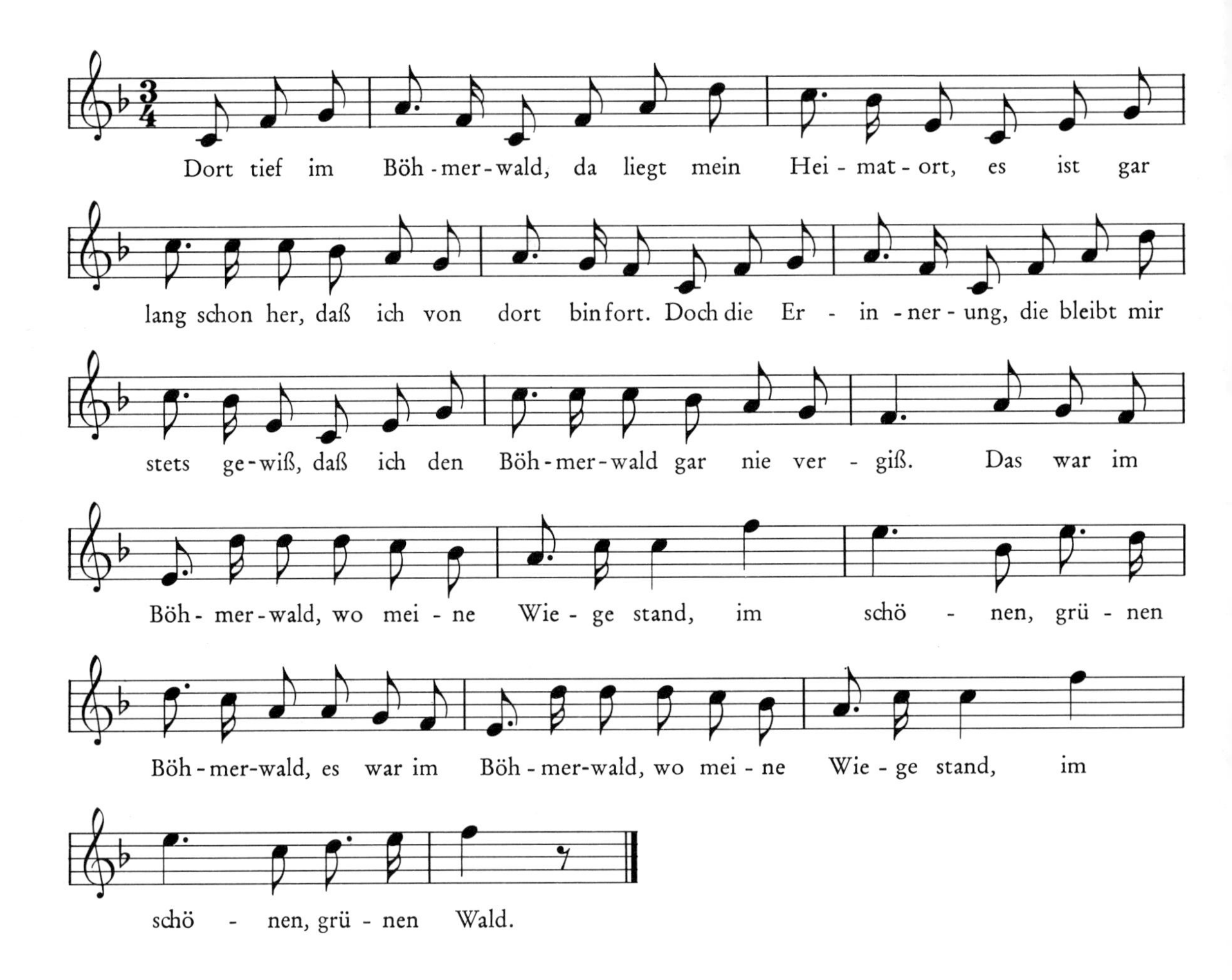

O holde Kinderzeit, noch einmal kehr zurück,
wo spielend ich genoß das allerhöchste Glück,
wo ich am Vaterhaus auf grüner Wiese stand
und weithin schaute auf mein Vaterland.
Das war im Böhmerwald . . .

Nur einmal noch, o Herr, laß mich die Heimat sehn,
den schönen Böhmerwald, die Täler und die Höhn,
dann kehr ich gern zurück und rufe freudig aus:
Behüt dich Böhmerwald, ich bleib zu Haus!
Das war im Böhmerwald . . .

Lebewohl

Mor - gen muß ich fort von hier und muß Ab - schied neh - men;
o du al - ler - schön-ste Zier, Schei-den das bringt Grä - men.
Da ich dich so treu ge - liebt ü - ber al - le Ma - ßen,
soll ich dich ver - las - sen, soll ich dich ver - las - sen.

Wenn zwei gute Freunde sind,
die einander kennen,
Sonn und Mond bewegen sich,
ehe sie sich trennen.
Noch viel größer ist der Schmerz,
wenn ein treu verliebtes Herz
in die Fremde ziehet.

Küsset dir eine Lüftelein
Wangen oder Hände,
denke, daß es Seufzer sein,
die ich zu dir sende.
Tausend schick ich täglich aus,
die da wehen um dein Haus,
weil ich dein gedenke.

Man wünscht nicht gleich die vielzitierte gute alte Zeit wieder herbei, wenn man ihre Lieder singt. Diese Volkslieder und Lieder im Volkston, die sich – jenseits des wechselnden Zeitgeschmacks – in geselligem Kreis, in Küche und Kammer lebendig erhalten haben, zeugen von einer besonderen Kraft des Gefühls, die sich nicht immer offen zeigte oder zu zeigen wagte. Sicher haben die Menschen von heute nicht weniger Gemüt als früher. In einer Zeit jedoch, die sich sachlich und nüchtern gibt, mögen es „Lieder, die zu Herzen gehen" schwerhaben. Echtes Gefühl muß wohl untergehen, wenn es ‚Masche', wenn es Geschäft wird.
Heute entstehen keine echten Volkslieder mehr. Die Schlager von heute, so gefühlsselig mancher klingt, können auch nicht als die legitimen Nachfolger der Volkslieder von ehedem angesehen werden, ebensowenig sind die Gassenhauer, die Schlager unserer Groß- und Urgroßväter, zu Volksliedern geworden. Ein Schlager bleibt auch als Evergreen durch Textwahl, Melodie und Rhythmus als Schlager erkennbar. Und wenn man heutzutage vertrauten volkstümlichen Weisen oftmals neue Worte unterlegt, in der Hoffnung, sie als aktualisierte Folklore zu vermarkten, weiß das Publikum recht gut zwischen ‚echt' und ‚nachgemacht' zu unterscheiden. Es bleibt wohl abzuwarten, ob die heutigen Schlager, genau wie die alten Volksweisen, noch spätere Generationen ergötzen und erquicken werden.
Hermann Mährlen wie Harro Torneck haben bereits in jungen Jahren begonnen, gefühlvolle Melodien und Verse zu notieren, die von den Schmerzen des Herzens erzählen. Aus seiner Samm-

lung stellte Harro Torneck schon vor mehr als zwanzig Jahren in seiner Rundfunkreihe „Still im Aug' erglänzt die Träne" eine größere Anzahl vor. Auch bei diesem Volks- und Küchenliederbuch kann es sich nur um eine Auswahl handeln. Vollständigkeit ist nicht beabsichtigt, wäre wohl auch nie zu erreichen. Auch eine allgemein gültige Fassung der Lieder gibt es nur in den seltensten Fällen. Ein Lied, das über Jahrzehnte, oft mehr als ein Jahrhundert, von Mund zu Mund weitergegeben wurde, kann nicht überall in deutschen Landen einheitlich gesungen werden. An vorliegenden Texten wurde aber kein Wort mutwillig geändert.
So wird wohl beim Durchschmökern der Verse, beim Betrachten der empfindsamen Zeichnungen von Bele Bachem, beim Mitsummen oder Singen der eine ein ihm besonders liebgewordenes Lied vermissen, der andere anzumerken haben, daß ihm hie und da andere Worte oder andere melodische Wendungen vertrauter sind. Alle die Lieder, die von Heimweh singen, von Sehnsucht nach dem verlorenen Paradies der Jugend, von enttäuschter Liebe, herbem Abschied und rührender Treue – mögen sie weiterhin die Herzen anrühren, wehmütige oder heitere Erinnerungen wecken! Sie sind zeitlos, sie veralten nicht.

Verzeichnis der Lieder nach Titeln

Verzeichnis der Lieder nach Anfängen

Da die meisten Lieder dieser Sammlung mündlich überliefert und deshalb die Verfasser der Texte und Melodien unbekannt sind, wurde in den wenigen Fällen, in denen die Verfasser bekannt sind oder noch Urheberrechte bestehen, darauf verzichtet, sie unmittelbar bei den Texten und Melodien zu nennen.

Der Abdruck unten stehender Lieder erfolgt mit freundlicher Genehmigung der Autoren und Verlage:

Jägerblut – Lied von Reckling-Erdlen. Verlag Anton J. Benjamin, Hamburg

Seemanns Los – Lied von H. W. Petrie-Martell. Verlag Anton J. Benjamin, Hamburg

Die Rasenbank am Elterngrab – Lied von Winter-Thymian. Theater-, Buch- und Musikverlag Otto Teich, Darmstadt

Muttersegen – Lied von Steinhausen und Opladen. Lyra-Verlag Münster/W.

Die Blume Männertreu – Verlag Paul Schwanebeck, Berlin

Der Träne Lob und

Zerdrück die Träne nicht in deinem Auge – Melodien von Harro Torneck